転びの予防

体力チェックシート

転倒等リスク評価セルフチェック票

中央労働災害防止協会　編

近年、転倒災害は、最も多い災害です。転倒は、複数の因子（床面、天候、焦りなど）が関連して発生するといわれています。本チェック票は、自らの身体特性を質問票で確認し、身体機能計測の結果と比較することで、日常生活では自覚することのない身体機能の変化に気づくことができます。そのことが安全行動に対する意識を促し転倒災害の予防に役立つでしょう。

転倒等リスク評価セルフチェック票の使い方

【用意する物】
電卓、メジャー、養生テープ、ストップウォッチ、イス

【実施上の注意】
①ケガなどの救急対応ができるようにしておく。
②測定実施場所は以下を確認する。
・静かで、振動や話し声はないか。
・床が滑りやすくないか。
・壁を使った測定ができるか。
・室温や湿度の調節ができているか。
③イスの強度を確認する。

【実施の手順】
1) P2 の「Ⅰ. 質問票（身体的特性）」に回答。
2) P3 の 5 項目の「Ⅱ. 身体機能計測」を実施。実施時は
　①P6 の準備運動・整理運動を行う。
　②周りの状況を確認し安全に行う。
　③実施順序は事業場の状況に合わせて実施する（動きが小さいものから行った方が望ましい）
　④測定方法は、複数人で交替しながら実施することも可能。ただし、正確な測定方法で行えるよう注意する。
3) 「Ⅰ. 質問票（身体的特性）」、「Ⅱ. 身体機能計測」の回答結果をそれぞれ P2 と P5 の評価値に換算して P5 のレーダーチャートに記入する。P5 は山折りにして活用。

I. 質問票（身体的特性）

当てはまるものに〇をつけてください
※回答番号は丸数字から選ぶ

			あなたの回答番号	回答番号の数字を合算した点数	評価（下記評価基準）	評価項目
1	人ごみの中、正面から来る人にぶつからず、よけて歩けますか	①自信がない　②あまり自信がない ③人並み程度　④少し自信がある ⑤自信がある				①歩行能力・筋力
2	同年代に比べて体力に自信はありますか	①自信がない　②あまり自信がない ③人並み程度　④少し自信がある ⑤自信がある		点		
3	突発的な事態に対する体の反応は素早いと思いますか	①素早くないと思う ②あまり素早くないと思う　③普通 ④やや素早いと思う ⑤素早いと思う				②敏捷性
4	歩行中、小さい段差に足をひっかけたとき、すぐに次の足が出ると思いますか	①自信がない　②あまり自信がない ③少し自信がある ④かなり自信がある ⑤とても自信がある		点		
5	片足で立ったまま靴下を履くことができると思いますか	①できないと思う　②最近やってないができないと思う　③最近やってないが何回かに1回はできると思う　④最近やってないができると思う　⑤できると思う				③動的バランス
6	一直線に引いたラインの上を、継ぎ足歩行※で簡単に歩くことができると思いますか	①継ぎ足歩行ができない　②継ぎ足歩行はできるがラインからずれる ③ゆっくりであればできる ④普通にできる　⑤簡単にできる		点		
7	目を閉じて片足でどのくらい立つ自信がありますか	①10秒以内　②20秒程度 ③40秒程度　④1分程度 ⑤それ以上	→→			④静的バランス（閉眼）
8	電車に乗って、つり革につかまらずどのくらい立っていられると思いますか	①10秒以内　②30秒程度 ③1分程度　④2分程度 ⑤3分以上				⑤静的バランス（開眼）
9	目を開けて片足でどのくらい立つ自信がありますか	①15秒以内　②30秒程度 ③1分程度　④1分30秒程度 ⑤2分以上		点		

評価基準

合算点数	2～3	4～5	6～7	8～9	10
評価	1	2	3	4	5

※継ぎ足歩行とは、つま先の前に逆足のかかとを置いて歩く連続した歩行

評価

①2ステップテスト（歩行能力・筋力）

評価	1	2	3	4	5
結果	〜1.24	1.25 〜 1.38	1.39 〜 1.46	1.47 〜 1.65	1.66 〜

評価 [　　　]

②座位ステッピングテスト（敏捷性）

評価	1	2	3	4	5
結果	〜 24 回	25 〜 28 回	29 〜 43 回	44 〜 47 回	48 回 〜

評価 [　　　]

③ファンクショナルリーチ（動的バランス）

評価	1	2	3	4	5
結果	〜 19cm	20 〜 29cm	30 〜 35cm	36 〜 39cm	40cm 〜

評価 [　　　]

④閉眼片足立ち（静的バランス）

評価	1	2	3	4	5
結果	〜7秒	7.1 〜 17 秒	17.1 〜 55 秒	55.1 〜 90 秒	90.1 秒 〜

評価 [　　　]

⑤開眼片足立ち（静的バランス）

評価	1	2	3	4	5
結果	〜15秒	15.1 〜 30 秒	30.1 〜 84 秒	84.1 〜 120 秒	120.1 秒〜

評価 [　　　]

山折り

III. レーダーチャート

P2 と本ページ左の評価結果をそれぞれ違う色（もしくは実線か点線）で記入し線で結びます。

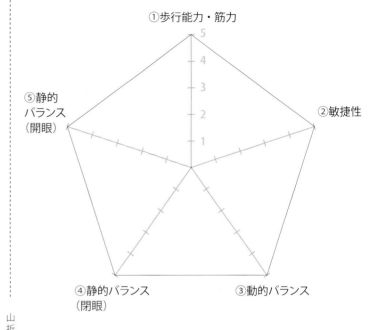

①「II. 身体機能計測」の大きさをチェック

「II. 身体機能計測」の枠が大きいと、転倒リスクは低くなります。評価が 2 以下の数値がある場合は、その項目は転倒の可能性が高くなり、注意が必要です。

②2つの枠の差をチェック

「I. 質問票」の自己認識と「II. 身体機能計測」の実測値の結果に差がないほど、自分の身体感覚・能力を客観的に把握し、認識できているといえるでしょう。

③どちらの枠が大きいかをチェック

・「II. 身体機能計測」の方が「I. 質問票」より大きい場合

自分の身体機能について慎重に評価しているようです。今後も過信することなく体力の維持向上に努めましょう。

・「I. 質問票」が「II. 身体機能計測」より大きい場合

身体機能が自分で考えている以上に衰えている状態と考えられ、とっさの動作で、体が思い通りに反応しない可能性も推測されます。

実施ポイント	備考
□スタートラインにつま先をそろえる □反動をつけず可能な限り大股で進む □同じ足から2回測定する □2歩目は両足をそろえる □小数第3位を四捨五入する □つま先までの距離を測定する ※測定者は、周囲の安全を確保し、バランスを崩した時には、支えること	中断ポイント： ①バランスを崩して手をついた場合 ②飛びはねて実施している場合
□浅めに腰掛け、イスの座面を握る □足を閉じた姿勢から、「始め」の合図でスタートする □ラインを越えた外側にすばやくふれて、開いて閉じてで1回とする（カウントは声に出さない） □足は開き、膝を離す ※イスがずれないように注意！	カウント条件： ①足が床についている ②床を擦らず足を持ち上げている
□足を軽く開いて立つ □両腕を肩の高さ（90度挙上）まで、前に持ち上げる □腕を伸ばした位置から開始する □足を動かさず身体を前に倒して手先を遠くまで伸ばし、元の姿勢に戻る □踵が上がってもよいが元に戻せるように ※倒れこまないように注意！	中断ポイント： ①壁によりかかる ②体をねじり片手だけを伸ばす ③足を前に踏み出す
□手の位置は自由にする □上げている足は支持足から離す □支持足の位置は移動させない □スタート姿勢をとり、目を閉じる ※測定者は、周囲の安全を確保し、バランスを崩した時には支えること ※測定前に終了条件を確認する	終了条件： ①支持足の移動 ②上げている足が床、または支持足につく ③目を開ける
□手の位置は腰におく □上げている足は支持足から離す □支持足の位置は移動させない ※測定者は、周囲の安全を確保し、バランスを崩した時には、支えること ※測定前に終了条件を確認する	終了条件： ①支持足の移動 ②上げている足が床、または支持足につく ③手が腰から離れる

転倒を起こさないために

　睡眠不足、過労、不安定な気持ち（悲しみ・怒り・焦り・悩みなどの感情）、急ぎ足、よそ見、考えごとなどをしながらの歩行は、転倒を起こしやすい内的変動要因です。そのためにも、普段から自分も転ぶかもしれないと注意を払い安全行動を徹底していくことが必要です。また、スマホのながら歩きやポケットに手を入れての歩行などの不安全行動をお互いに注意しあえるような、会話のある風通しのよい職場づくりも大切です。

　外的要因である環境の整備も重要です。一人ひとりが、4S（整理・整頓・清掃・清潔）を実施し、手すりの設置や照度の確保、歩行路の障害物、こぼれた水・ほこり・ゴミなどの放置、出入り口の備品・機材に注意しましょう。

II. 身体機能計測

	実施方法	結果

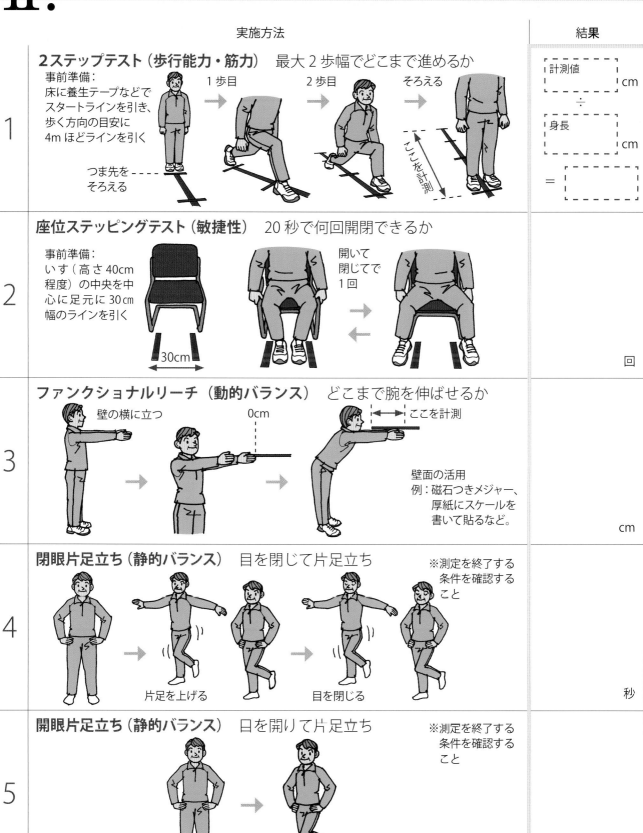

1　2ステップテスト（歩行能力・筋力）　最大2歩幅でどこまで進めるか

事前準備：
床に養生テープなどで
スタートラインを引き、
歩く方向の目安に
4mほどラインを引く

つま先を
そろえる

1歩目　　2歩目　　そろえる

ここを計測

結果：
計測値 [　　] cm
÷
身長 [　　] cm
= [　　]

2　座位ステッピングテスト（敏捷性）　20秒で何回開閉できるか

事前準備：
いす（高さ40cm
程度）の中央を中
心に足元に30cm
幅のラインを引く

30cm

開いて
閉じてで
1回

結果：　回

3　ファンクショナルリーチ（動的バランス）　どこまで腕を伸ばせるか

壁の横に立つ　　0cm　　ここを計測

壁面の活用
例：磁石つきメジャー、
厚紙にスケールを
書いて貼るなど。

結果：　cm

4　閉眼片足立ち（静的バランス）　目を閉じて片足立ち

片足を上げる　　目を閉じる

※測定を終了する
条件を確認する
こと

結果：　秒

5　開眼片足立ち（静的バランス）　目を開けて片足立ち

※測定を終了する
条件を確認する
こと

結果：　秒

準備運動・整理運動を！

準備運動はリズミカルに、安全対策として必ず行いましょう。整理運動は体の疲れを回復させるのに役立ちます。息を整えながらゆっくりと実施しましょう。

❶
手や足を
振る

❷
指を組んで
うでを前から後ろへ、
上に動かして
伸びる

❸
四股から
肩入れ

❹
屈伸

※本チェック票は、平成21年度厚生労働省委託事業「高年齢労働者の身体的特性の変化による災害リスク低減推進の手法等検討委員会」で調査検討を行った結果により作成されています。
（https://www.mhlw.go.jp/new-info/kobetu/roudou/gyousei/anzen/101006-1.html）

※詳しくは、中央労働災害防止協会『転びの予防と簡単エクササイズ』（2011）をご参照ください。

100年ライフ　安全・健康に働く①
転びの予防　体力チェックシート　～転倒等リスク評価セルフチェック票～

令和2年7月13日　第1版第1刷発行
令和6年10月30日　　　第14刷発行

編　者　中央労働災害防止協会
発行者　平山　剛
発行所　中央労働災害防止協会
　　　　〒108-0023　東京都港区芝浦3-17-12 吾妻ビル9F
　　　　ＴＥＬ　〈販売〉03-3452-6401
　　　　　　　　〈編集〉03-3452-6209
　　　　ホームページ https://www.jisha.or.jp/
印　刷　新日本印刷株式会社
イラスト　ジェイアイプラス
デザイン　スタジオトラミーケ
○乱丁・落丁はお取り替えします。
©JISHA 2020　21612-0111
定価220円（本体200円＋税10%）
ISBN978-4-8059-1943-9 C3460　¥200E

エイジフレンドリーを目指して
心とからだの
セルフケア

中央労働災害防止協会 編

はじめに

　人生 100 年時代である長寿社会では、年齢にかかわらず働くことで、新たな自己発見や前向きに取り組む姿勢、成長を促す人間関係などを実現させていく場と変化しています。これまでのような定年で引退する人生モデルではなくなってきており、自分自身の健康を意識し、自己管理（セルフケア）していくことが必要となっています。日々「気分がいい！」と実感する経験を重ね、自分らしく働き続けたいものです。

適切な「休養・栄養・運動」が心とからだの健康に大切です！

1 休養

> まずは
> 自分の睡眠を
> チェックして
> みよう

【睡眠は大丈夫ですか?】

　睡眠は、**免疫の維持**や**疲労回復**に重要です。しかし、年をとると、眠りたくてもなかなか寝付けない、朝早く目が覚めてしまうというように、睡眠に満足できない人も多くいます。

- ☐ 布団に入って 30 分以上、寝付けないことが多い
- ☐ 夜中に 1 〜 2 回、目が覚める
- ☐ 朝の目覚めがすっきりしない
- ☐ 日中、強い眠気を感じる
- ☐ 人と話をしている時も眠い
- ☐ 寝る直前まで、スマホやパソコンを使っている
- ☐ 寝る時間が不規則
- ☐ 週末は寝だめをする

　1つでも該当する場合は、不眠症の可能性がありますので
睡眠習慣を見直してみましょう。